Nalle Puh

Pieni kirja

Viisaudes

Suomentanut Pirkko Biström

Inspiroinut A.A. Milne — Kuvittanut E.H. Shepard

First published in Great Britain 1999
Printed under the Methuen imprint
by Egmont Children's Books Limited
239 Kensington High Street, London W8 6SA
Copyright © 1999 Michael John Brown, Peter Janson-Smith,
Roger Hugh Vaughan Charles Morgan and Timothy Michael
Robinson,
Trustees of the Pooh Properties.
Selected and adapted from *Winnie-the-Pooh*, *The House at Pooh Corner* and
When We Were Very Young
text by A.A. Milne and line illustrations by E.H. Shepard
copyright under the Berne Convention
Devised by Susan Hitches
Book design by Philip Powell
copyright © 1999 Egmont Children's Books Limited
Sitaattilainausten (teoksista Nalle Puh ja Nalle Puh rakentaa talon)
suomennos Kersti Juva. Runojen suomennos Ville Repo.

ISBN 951-0-24295-0
Toinen painos
Painettu Hongkongissa 2000

"Oletko sinä tehnyt tuon laulun?"
"Tavallaan", sanoi Puh. "Kysymys ei ole Älystä",
hän jatkoi nöyrästi, "syystä Jonka Tiedät,
mutta joskus niitä ilmestyy päähän."

Ennen kuin aloitat

Puh on Hyvin Pieniälyinen Karhu eikä aina keksi
oikeita sanoja, mutta silti hän on silloin tällöin
lausunut hyvin viisaita sanoja ja ajatellut hyvin
mielenkiintoisia ajatuksia, jotka hän nyt haluaa
kertoa sinullekin. Runot ja Hyrinät ja pienet
Viisauden Sanat eivät ole Puhin Haettavissa, ne
Ilmestyvät. Siksi sinäkin, lukijani, mene sinne mihin
ne ilmestyvät ja upota tassusi tähän pieneen
Viisauden kokoelmaan, joka on kerätty lojaalilta,
luotettavalta Karhulta.
Koko Maailman Parhaalta Karhulta: Nalle Puhilta.

Henkilökohtaisia mietteitä

Kun on Hyvin Pieniälyinen Karhu saattaa joskus käydä niin että kun Ajattelee Asioita, sitä saattaa Ajatella Sellaisia Asioita jotka ovat aivan Asiallisia silloin kun ne ovat vielä päässä, mutta muuttuvat kokonaan kun ne tulevat esiin kaikkien nähtäviin.

Asiat tärkeysjärjestykseen

Kello melkein yksitoista on juuri
sopiva aika haukata jotakin pientä.

Tutki varastokomerosi

Tuntuu ikään kuin rauhoittavalta tietää onko
jäljellä neljätoista vai viisitoista purkkia hunajaa,
miten milloinkin.

Ennakoinnista

Vaikka Hunajan syöminen on todella mukavaa,
sitä ennen on hetki joka on vielä parempi.

Suunnittele etukäteen

Monikaan karhu ei olisi tullut ajatelleeksi ottaa
mukaansa jotakin pientä lähtiessään kävelemään
tällaisena lämpimänä päivänä.

Vietä Onnistunut Päivä

Kun on kävellyt tuulessa monta kilometriä ja tulee yllättäen jonkun luo ja tämä sanoo "Terve Puh, tulit juuri sopivasti haukkaamaan jotakin pientä", ja niin juuri on asian laita, sitä minä kutsun Onnistuneeksi Päiväksi.

Muista levätä

Mukavinta on Ei Mikään. Kun on juuri menossa ja joku tulee kysymään: "Mitäs Risto Reipas?" ja minä vastaan 'En mitään' ja sitten menen. Me vain kuljeksimme ja kuuntelemme kaikkea mitä kuuluu tekemättä mitään.

Hallitse stressi

Jotta näyttäisit aivan rauhalliselta, hyräile pari kertaa pimpeli-pom niin kuin miettisit mitä sitten tehtäisiin.

Pieni varoitus

Kun hankkii hunajaa ilmapallolla, oleellista on
että ei anna mehiläisten huomata, että joku on
tulossa.

Makuasia

Vääränlaiset mehiläiset varmaan tekevät
vääränlaista hunajaa.

Kylmää logiikkaa

Turha mennä kotiin harjoittelemaan erityistä
Ulkoilmalaulua jota Kuuluu Hyräillä
Lumipyryssä.

Keksi aina tekemistä

Tänään on nimenomaan tekemispäivä.

Älä vitkastele

Jos aina sanot:
"Katsotaan, katsotaan",
ei tapahdu ikinä mitään.

Arvioi ympäristöäsi

Kun talo alkaa näyttää tuulen kaatamalta puulta,
on aika ruveta etsimään uutta.

Olettamuksista

Ajatteles, jos joku puu kaatuisi
kun me olemme sen alla?

Ajatteles, jos ei kaadu.

Tarpeen tullen

Ei koskaan voi tietää milloin narunpätkä
osoittautuu Hyödylliseksi.

Älynväläys

Paras tietää, mitä etsit,
ennen kuin aloitat etsimisen.

Hyväksy itsesi

"Puh", sanoi Kani lempeästi,
"sinä olet älytön."
"Tiedän sen", sanoi Puh nöyrästi.

Lisää älysi voimaa

Miten ihanaa olisi olla todella Älykäs
ja ymmärtää asioita.

Ymmärryksestä

Kani on viisas. Kanilla on Älyä.
Siitä varmaan johtuu, että hän ei koskaan
ymmärrä mitään.

Itsetuntemuksesta

Puh ei ole erityisen Suuriälyinen
mutta hänelle käy aina
parhain päin.

Kukaan ei voi olla hyvä kaikessa

Arvoitukset eivät olleet hänen vahva puolensa,
hän kun oli Pieniälyinen Karhu.

Johtajantaidoista

Hyvin Suurelle Älylle Möhköfantin
pyydystäminen ei olisi konsti eikä mikään kun
vain osaisi konstin.

Tietämisestä

Jos hän nousisi seisomaan sillankaiteen
alimmalle poikkipuulle ja nojautuisi eteenpäin ja
katselisi kuinka joki virtaa hitaasti alitse niin
hän äkkiä tietäisi kaiken mitä voi tietää.

Pitäisi pysyä hoikkana

Jos karhu ei hoida kuntoaan,
hän saattaa ruveta lihomaan.

Miksi se ei onnistu

Kaikki kai johtuu siitä että pitää niin
paljon hunajasta.

Kumppanuudesta

Ei mikään jännittävä tunnu paljon miltään kun
sitä ei voi jakaa kenenkään kanssa.

Kahdestaan on paljon Miellyttävämpää.

Ihaile jotakuta

On vaikea olla kunnioittamatta henkilöä,
joka osaa kirjoittaa

TIISTAI.

Oman itsensä arvostamisesta

"Millaisista kertomuksista hän pitää?"
"Sellaisista joissa kerrotaan hänestä.

Hän on *sellainen* karhu."
Maailman Paras Karhu.

Ajankäytöstä

"Se kestää aina kauemmin kuin luuleekaan",
sanoi Kani.
"Kuinka kauan sinä *luulet* että se kestää?"
kysyi Ruu.

Toiminnasta

Kun ei ole muuta tekemistä,
tee jotakin.

Päätöksenteosta

Kun olet ajatellut, voit päätyä hyvin
tärkeisiin ratkaisuihin.

Tee aloite

Ole kuin Kani, jonka päähän ei koskaan
ilmestynyt mitään mitä hän ei itse sinne pannut.

Organisaatiosta

Se tarkoittaa sitä että jos ja kun
etsitään niin kaikki eivät etsi samasta
paikasta yhtä aikaa.

Ole valmis

Pyyhi hunaja kuonoltasi ja ojentaudu parhaan
kykysi mukaan näyttääksesi Valmiilta Kaikkeen.

Seurallisuudesta

Hyvä Syy mennä tapaamaan kaikkia:
se että on Torstai.

Hiukan filosofiaa

Joskus käy niin että mitä enemmän ajattelee, sitä
vähemmän on todellista vastausta olemassa.

Aina kun sinua pelottaa

Osoittaaksesi, ettet ole säikähtänyt,
hypi pari kertaa ylös alas
kuin voimistelisit.

Tee urhea ele

Hyrise vain itseksesi kuin
odottaisit jotakin.

Levottomuuden hetkistä

Joskus kun katsoessaan ympärilleen näkee
Hyvin Villin Möhköfantin tuijottavan kohti,
saattaa unohtaa mitä piti sanoa.

Varo!

Mehiläisistä ei koskaan tiedä,
käpälänjäljistä ei koskaan tiedä eikä
Möhköfanteista tiedä *koskaan.*

Turha huolestua

Kun sinulle tulee vajoava tunne, älä huolestu:
luultavasti se johtuu siitä että sinulla on nälkä.

Naamioidu

Kun sinulta kysytään oletko se sinä, teeskentele
ettet ole ja katso mitä tapahtuu.

Vapaa-ajasta

Kun mietit mitä tekisit,
istuudu laulamaan.

Täsmällisyydestä

Älä myöhästy siitä
mihin pitää ehtiä.

Ole välillä spontaani

Tee jotakin mikä on Hyvä Tehdä
miettimättä sen tarkemmin.

Ellet heti onnistu

Jos naru katkeaa,
hae toinen naru.

Etsi lohtua

Kukaan ei voi olla ilahtumaton saatuaan
ilmapallon.

Sano se kukkasin

Kuinka säälittävää onkaan olla Eläin jolle
kukaan ei ole koskaan poiminut
orvokkikimppua.

Vatsan pettymyksestä

Melkein Tee on sellainen jonka myöhemmin
voi unohtaa kokonaan.

Hämmennyksestä

Puh katsoi kahta käpäläänsä. Hän tiesi että
toinen niistä oli oikea ja että kun oli päättänyt
kumpi oli oikea, silloin toinen oli vasen, mutta
hän ei koskaan muistanut miten alku meni.

Varastopulmien ratkaisemisesta

Hyödyllinen Purkki voi tehdä sinut iloiseksi.
Siihen pannaan tavaroita.

Kysy aina

Ehkä Uskollinen Ritari onkin juuri sellainen joka on uskollinen vaikka hänelle ei kerrota kaikkea.

Katso asiaa valoisalta puolelta

Oikeastaan ei kenessäkään ole mitään vikaa.
Minä olen sitä mieltä.

Hyvistä tavoista

Sano aina "Näkemiin-ja-kiitos-
oli-oikein-mukavaa".

Ole avoin luovuudelle

Runous ja Hyrinät eivät ole Haettavissa, ne
Ilmestyvät. Eikä siinä auta muu kuin mennä
sellaiseen paikkaan mihin ne ilmestyvät.

Urheudesta

Se että horjuu vain sisältä on Pienelle Eläimelle
rohkein tapa olla horjumatta.

Tee itsesi tarpeelliseksi

Ilman Puhia seikkailusta ei tulisi mitään...
Ei mitään ilman minua! Minä olenkin
Sellainen Karhu.

Rakasta lähimmäistäsi kuin itseäsi

"Voi Karhu!" sanoi Risto Reipas.
"Että minä pidän sinusta!"
"Niin minäkin", sanoi Puh.

Pidä hauskaa

Kaikista eniten pidän siitä kun Minä Ja Nasu
tulemme tapaamaan sinua ja sinä sanot:
"Ottaisitko jotakin pientä?" ja minä sanon:
"Jotakin pientä voisimme varmaan ottaa,
vai mitä Nasu?" Ja ulkona on hyräilevä
päivä ja linnut laulavat.

Ota oppia kokemuksista

"Hassu juttu", sanoi Puh. "Minä pudotin sen
toiselle puolelle ja se tuli ulos tältä puolelta!
Kävisikö niin uudestaan?" Ja hän meni
hakemaan lisää käpyjä.
Niin kävi. Niin kävi yhä uudestaan.

Varo vaaraa!

Hunnit ovat Arkojen Kauhu. Myös hunaja voi
olla Arkojen Kauhu, nimittäin jos sen vuoksi
putoaa piikkipensaaseen.

Kuuntelemisen taidosta

Kaapissani on kaksitoista hunajapurkkia ja ne
ovat kutsuneet minua jo tuntikausia. En kuullut
kunnolla kun se Kani puhui ja puhui mutta jos
kaikki ovat hiljaa paitsi ne kaksitoista purkkia,
niin minä ehkä kuulen mistä päin kutsu tulee.

Välitä muista

Hiukka Huomioonottamista, Vähän
Välittämistä, ei siinä muuta tarvita.

...ja ole Ystävällinen

Ole Ystävällinen ja Ajattelevainen.

A. A. MILNE

A. A. Milne, joka syntyi 1882, oli jo tunnettu näytelmä- ja romaanikirjailija, kun *Nalle Puh* vuonna 1926 ilmestyi. Nämä kertomukset Nalle Puhista hän kirjoitti pojalleen Christopher Robinille, kertomusten Risto Reippaalle. Niiden hahmot perustuvat Christopher Robinin omistamiin leluihin, ja tapahtumat on sijoitettu Ashdownin metsään, jossa perhe asui. Tämän pienen kirjan viisaat sanat löytyvät A. A. Milnen teoksista *Nalle Puh* ja *Nalle Puh rakentaa talon*.

E. H. SHEPARD

E. H. Shepard tuli tunnetuksi "Puhin piirtäjänä". Hän syntyi 1879 ja osasi lapsesta lähtien piirtää hyvin. Hän sai stipendin Englannin kuninkaalliseen taideakatemiaan ja saavutti mainetta taiteilijana ja kuvittajana.
E. H. Shepardin hauskat, hellät kuvat teoksiin *Nalle Puh* ja *Nalle Puh rakentaa talon* ovat erottamaton osa näiden tarinoiden vetovoimaa. Niistä on tullut klassikkoja jotka tunnetaan kaikkialla maailmassa.